AF497675

# Marmoris Parii

## Cum Commentario Bipartito Editi

## Specimen

Scripsit

Et

Amplissimi Philosophorum Ordinis

Consensu Et Auctoritate

In

**Alma Litterarum Universitate Viadrina**

Ad

Veniam Docendi Rite Impetrandam

**Die III M. Novembr. A. MDCCCCIII Hora XI.**

Una Cum Sententiis Controversis

Publice Defendet

### Felix Jacoby
Magdeburgensis.

---

Adversarii erunt:

**Ludowicus Sniehotta,** Dr. phil.

**Guilelmus Kothe,** Dr. phil.

---

Vratislaviae
Typis H. Fleischmann
MDCCCCIII.

# A

* * *

1 . . . . . . ΟΥ * [ἐξ ἀναγραφῶ]ν παν[τοί]ων (?)  25+(?)+[34]·?
[καὶ ἱστοριῶν κοι]νῶν (?) ἀνέγραψα τοὺς ἄν[ωθεν
χρό —

2 νους] ἀρξάμ[εν]ος ἀπὸ Κέκροπος τοῦ πρώτου  65+[9]= 74
βασιλεύσαντος Ἀθηνῶν εἴως ἄρχοντος ἐμ Πάρωι
[μὲν

<table>
<tr><td>1581/0<br>ΚΕΚΡΟΨ</td><td>3 . . . . . υάνακτος, Ἀθήνησιν δὲ Διογνήτου. 1<br>ἀφ᾿ οὗ Κέκροψ Ἀθηνῶν ἐβασίλευσε, καὶ ἡ<br>χώρα Κεκροπία ἐκλήθη τὸ πρότερον καλου —</td><td>90+(4)= 94</td></tr>
<tr><td>1573/2<br>ΚΕΚΡΟΨ</td><td>4 μέντ ᾿Ακτικὴ ἀπὸ ᾿Ακταίου τοῦ αὐτόχθονος,<br>ἔτη 1318 — 2 ἀφ᾿ οὗ Δευκαλίων παρὰ τὸν<br>Παρνασσὸν ἐν Λυκωρείαι ἐβασίλευσε, [βα]σιλε[ύ —</td><td>99+[3]=102</td></tr>
<tr><td>1531/0<br>ΚΡανα ΟΣ</td><td>5 ο]ντος Ἀθηνῶν Κέκροπος, ἔτη 1310. —<br>8 ἀφ᾿ οὗ δίκη Ἀθήνησι [ἐγέ]νέτο Ἄρει καὶ<br>Ποσειδῶνι ὑπὲρ ῾Αλιρροθίου τοῦ Ποσειδῶνος καὶ<br>ὁ τόπος ἐκλήθη</td><td>103+[4]=107</td></tr>
<tr><td>1528/7<br>ΚΡαΝαΟΣ</td><td>6 Ἄρειος πάγος, ἔτη 1268, βασιλεύοντος Ἀθηνῶν<br>Κρ[ανα]οῦ. — 4 ἀφ᾿ οὗ κατακλυσμὸς ἐπὶ<br>Δευκαλίωνος ἐγένετο καὶ Δευκαλίων τοὺς</td><td>98+[3]=101</td></tr>
</table>

---

Uncis quadratis inclusi litterarum quas supplevi numerum, rotun-
dis litterarum, quae periisse videntur neque suppleri possunt.

1] . . . . . . . . . . . . . . ΝΠΑΝ . . . ΩΝ . . . . . . . . . ΝΩΝ
S(eldenus).

3] post ΔΙΟΓΝΗΤΟΥ spatium trium vel quattuor litterarum indi-
cavitS.

6] ΔΕΥΥΚΑΛΙΩΝΟΣ S.

7 ὄμβρους ἔφυγεν ἐγ Λυκωρείας εἰς 'Αθήνας πρὸ[ς   76+[22]= 98
  Κρανα]ὸν καὶ τοῦ Διὸ[ς το]ῦ 'Ο[λυ]μ[πι]ου
  τὸ ἱ[ε]ρὸν ἱδ[ρύσατ]ο [καὶ] τὰ σωτήρια ἔθυσεν,

8 ἔ]τη 1265, βασιλεύοντος 'Αθηνῶν Κρ[α]ν[α]οῦ.   81+[11]= 92

1521/0        — 5 ἀ[φ' οὗ 'Αμφι]κτύων [ὁ] Δευκαλίωνος
ΑΜΦΙΚΤΥΩΝ     ἐβασίλευσεν ἐν Θερμοπύλαις καὶ συνῆγε

9 τ]οὺς περὶ τὸ ἱερὸν οἰκοῦντας καὶ ὠ[νό]μασεν   77+[11?]-88(?)
  'Αμφικτύονας καὶ Π[υλαία]ν, οὗ[περ] καὶ νῦν
  ἔτι θύουσιν 'Αμφικτύονες

10 ἔ]τη 1258, βασιλεύοντος 'Αθηνῶν 'Αμφικτύονος.   79+[11]= 90
1520/19       — 6 ἀφ' οὗ "Ελλην ὁ Δευκ[αλίωνος Φθι]-
ΑΜΦΙΚΤΥΩΝ     ώτιδος ἐβασίλευσε καὶ "Ελληνες

11 ὠν]ομάσθησαν τὸ πρότερον Γραικοὶ καλούμενοι,        ?
   καὶ [[τὸν ἀγῶνα ΠΑΝΑΘ . . ΝΑΙ . . . . . . . .
   ΩΙ]] 1257, βασιλεύοντος

1518/7    12 'Αθηνῶν 'Αμφικτύονος. — 7 ἀφ' οὗ Κάδμος 67+(?)+[3]=?
ΑΜΦΙΚΤΥΩΝ     ὁ 'Αγήνορος εἰς Θήβας ἀφίκετο * * * [καὶ]
              ἔκτισεν τὴν Καδμεί —

13 αν, ἔτη 1255, βασιλεύοντος 'Αθηνῶν 'Αμφικτύ-   59+[38]= 97
1515/4        ονος. — 8 ἀφ' οὗ [Κίλιξ καὶ Φοῖνιξ οἱ
ΑΜΦΙΚΤΥΩΝ     'Αγήνορος Κιλικίας καὶ Φοι]νίκης (?) ἐβασίλευσαν,

14 ἔτη 1252, βασιλεύοντος 'Αθηνῶν 'Αμφικτύονος.   58+[42]=100
1510/9        — 9 ἀφ' οὗ ναῦ[ς κατασκευασθεῖσα ὑπὸ
εριχθονιος    Δαναοῦ (?) πρώτη πεντ]ή[κοντα κωπ]ῶν ἐξ
              Αἰγύπτου

---

7] ΠΡΟ . . . ΟΝ S ΔΙΟ . . ΥΟ . . . Δ . . . ΜΤΟΥ S ΤΟΙΡ. ΟΝ
S τὸ ἱ[ε]ρόν A. Wilhelm *Athen. Mitth.* XXII 199. ΙΔ . . . . . . Ο S.
8] Α . . . . ΚΤΥΩΝ S.
  9] . . . ΟΥΣ S ΤΟΝΟΡΟΝ S τὸ ἱερόν coni. Wilhelm 1 l. Π . .
. . . . ΝΟΥ . . S ΑΜΦΙΚΤΥΩΝΕΣ S.
10] ΑΚΦΙΚΤΥΟΝΟΣ S.
11] ΤΘΝΑΓΩΝΑΠΑΝΑΘ . ΝΑΙ . . . . . ΩΙ secl. Jacoby
12] ΛΦΙΚΕΤΟ . . . . . . . . . . . S.
13] . . . . . . . . . . . ΝΙΚΗΣ S
14] ΝΑΥ . . . . . . . . . . Η . . . . . . . ΩΝ S.

Priusquam ad singulas epochas explicandas accingar, pauca mihi dicenda sunt de subsidiis criticis. prioris fragmenti (A) pars superior cum pridem perierit, in recensendis versibus 1—45 unum Seldenum ducem sequamur necesse est. qui, ubi primum in Angliam translata est tabula marmorea, quam nos quidem Marmor Parium vel Chronicon Parium appellare solemus, editionem principem quam dicunt confecit a. 1628, e qua universi pendent, qui postea Chronico edendo operam navabant. de cuius editionis indole cum alio loco fusius dicere in animo sit, hic ea tantum monebo, quae lectorem scire maxime interest. primum enim ex lapidis parte adhuc superstite certo colligitur Seldenum, etsi in Epocharum quam vocavit stela complurium dierum operam se collocasse testatur, tamen editoris munere sat neglegenter functum esse. verba omisit nonnulla, multa quae in lapide erant non legit, alia ita exscripsit, ut errasse eum vel primo aspectu appareat. deinde incuriosissimus est in lacunarum spatiis accurate exprimendis, qua re quam maxime impedimur, ne supplementa excogitemus, quae ad verisimilitudinis speciem adducantur. nam quod ipse in praefatione editionis se id egisse affirmat, ut „qua fieri potuit, iusta hiatuum et lacunarum proportio“ exhiberetur, promissi fidem minime praestitit. immo persaepe ex libidine puncta eum posuisse imprimis in lacunis paulo latius patentibus exprimendis multis e locis manifesto colligitur. tum erratis typographicis tam levioribus quam foedissimis tota scatet editio, quorum exiguam sane partem in „Erratis“ Seldenus correxit. quod superest ut de transcriptione litteris

minusculis quas dicunt exarata dicam quid sentiam. qua
cum ita usus est Boeckhius, ut ex minusculis corrigeret
maiusculas, erravit vir doctissimus, cum mihi quidem ex
partis superstitis locis permultis persuasum sit nihil omnino
valere transcriptionem illam, quippe quae non iterata lapidis
lectione effecta sit. quid, quod ex ipsis maiusculis eam
transcripsisse Seldenum demonstrari potest, ea commotum
ratione, ut lectorum inertiae consuleret? quae cum ita
essent, discrepantias, quae in superiore lapidis parte inter
maiusculas et minusculas obviae sunt, adnotare necesse
non habui.

### Praescripta

[1] . . . . . . ου * [ἐξ ἀναγραφῶ]ν παν[τοί]ων [καὶ ἱστοριῶν
κοι]νῶν (?) ἀνέγραψα τοὺς ἄν[ωθεν χρό [2] νους] ἀρξάμ[εν]ος ἀπὸ
Κέκροπος τοῦ πρώτου βασιλεύσαντος Ἀθηνῶν εἵως ἄρχοντος ἐμ
Πάρωι [μὲν [3] . . . . . ]υάνακτος, Ἀθήνησιν δὲ Διογνήτου
(264/3).

*Supplementa:* [ἐξ ἀναγραφῶ]ν παν[τοί]ων ‿ [περὶ τῶν
προγεγενημέ]νων **B**(oeckhius) [περὶ τῶν πεπραγμέ]νων vel
[ἱστορημέ]νων Flachius. — τοὺς ἄν[ωθεν χρόνους] ἀρξάμ[εν]ος
**S**(eldenus) [μὲν Ἀστυ]άνακτος idem.

Superioris fragmenti versus 1—3 praescripta continebant,
quae maioribus atque diductioribus litteris exarata fuisse,
ut primo aspectu legentium oculos occuparent, haud sine
veri specie Boeckhius suspicatus est. constat enim v. 2
litterarum fuisse non plus 75, cum nulla sit causa, qua
commoti in extremo versu praeter μέν, quod iam Seldenus
supplevit, quidquam excidisse statuamus. at prioris partis,
quam usque ad v. 55. fere pertinere alio loco fusius ex-
ponam, versus omnes, quotquot integri exstant a temporum
iniuria, litterarum sunt plus nonaginta, plerique plus centum.
quid, quod etiam spatio vacuo ab ipsis Chronicis disiuncta
sunt praescripta?

v 1 iam eo tempore, quo inventa est tabula, adeo
*detritus* erat, ut vix unam litterulam legeret Seldenus cuius

cum plerisque elementis etiam auctoris nomen periisse vulgo
credunt, ita quidem ut ΟΥ litteras superesse statuant de patris
nomine. at lacuna litterarum quinque, quam ante ΟΥ indicavit
Seldenus, cum ne uni quidem ‚nomini sufficiat, malim
credere ante illum versum, quem nunc primum numeramus,
periisse titulum; quem et nomen scriptoris continuisse et
verba, quibus opus suum sive civibus sive deis obtulit
chronographus, concludere licebit ex aliis eiusdem generis
inscriptionibus. finge igitur in summa tabula scriptum fuisse
sive ὁ δεῖνα τῶι Παρίων δήμωι χαίρειν sive ὁ δεῖνα ἀνέθηκεν
vel simile quid. (τωῖ δεῖνα χαριστήριὸν JGr Ins. I 913. τωῖ δεῖνα
ἱερά. cf. A. Wilhelm Archaeol.-Epigraph. Mittheil.
aus Oesterreich-Ungarn XX 1897 p. 91 sq.)

Quae cum ita sint, manifesto desperandum est de auctoris
nomine supplendo, etsi sunt et fuerunt, qui coniectura asse-
querentur, quis composuisset tabulam marmoream. velut
ante annos fere centum et triginta editor Danielis (Daniel
secundum Septuaginta ... Romae 1772 p. 481 sq.),
cum inconsulto Demetrii Phalerei Ἀρχόντων Ἀναγραφήν in ipsa
tabula marmorea scriptam reperisse sibi visus esset, hunc in
modum explevit lacunas: [Δημήτριος ὁ Φανοστράτ]ου [Φαληρεὺς
ἐκ τῶν συμ]πάν[των ὑπαρχόντ]ων ἀνέγραψα; novissime autem
Theodorus Reinach (Rev. des Ét. Gr. XI 1898 p. 333)
Sosiphanem minorem Chronicon Parium composuisse contendit, nullis usus argumentis quibus permiram illam
sententiam firmaret. macte esto modestia, Sosiphanes! quippe
qui tuum natalem cum gravissimis rebus tam privatis
quam publicis ipse in tabulas chronicas retuleris, ne talis viri
memoria unquam evanesceret (cf. fragmenti B, quod a. 1897
in Paro insula inventum ediderunt M. K. Krispi et A. Wilhelm
Athen Mitth. XXII 1897 p. 183—213 adiecta etiam tabula
photographica, ep. 22 v. 27). at haec absurda. equidem
me nescire fateor, quomodo altera versus 1i pars supplenda
sit, praesertim cum vehementer dubitem, fidesne habenda
sit litteris ου. sescenties enim Seldenus erravit, ubi in versibus lacunosis detritisque singulas litteras detexisse sibi
visus est.

Paulo confidentius de altera versus 1i parte supplenda
iudicium fertur, licet hic quoque quae in textum recepta
sunt supplementa magis exempli causa reposuerim quam quod
ipsa chronographi verba nos recuperasse credam. at quibus
e partibus talis operis prooemium constet, satis notum est.
itaque cum dubitari non possit, quin argumentum operis,
quod lapidi insculptum in publicum proposuerat chronographus, in praefatione indicaverit, Seldeni supplementum τοὺς
ἂν[ωθεν χρόνους] (cf Euseb. can. p. 5,31) quam maxime
aptum esse concedendum est. nam revera χρόνοι hoc opere
continentur. argumento autem inscriptionis hoc modo indicato
commode sequuntur termini, quibus chronographiam inclusit
scriptor: ἀπὸ Κέκροπος τοῦ πρώτου βασιλεύσαντος ᾿Αθηνῶν εἵως
ἄρχοντος ἐμ Πάρωι μὲν * υάνακτος (nomen supplementum non
admittit), ᾿Αθήνησιν δὲ Διογνήτου. quaerentibus quae desint, ut
iustum plenumque evadat prooemium, statim apparet de fonti-
bus, quibus usus chronographiam composuerit, dicendum fuisse
scriptori. quod non fugit Boeckhium, cuius supplementum
et lacunae spatio (ΝΠΑΝ . . ΩΝ) et Eusebii verbis commen-
datur, quibus usus est in praefatione Canonis p. 4,21 χρόνων ἀνα-
γραφὰς συνελεξάμην παντοίας. conferas quaeso etiam Chronic. I p.
1,1 varia volumina antiquarumhistoriarumperlustravi
et Antiochi prooemium, quod servavit Dionysius AR I 12,3
᾿Αντίοχος Ξενοφάνεος τάδε συνέγραψε περὶ ᾿Ιταλίης ἐκ τῶν ἀρχαίων
λόγων τὰ πιστότατα καὶ σαφέστατα. contra minime mihi proba-
tur, quod porro proposuit Boeckhius. nam neque ἀναγραφαὶ περὶ
τῶν προγεγενημένων bene dicuntur et omnino supervacanea atque
inutilia haec verba esse quis est quin videat. immo de fon-
tibus plura dixisse chronographum puto, quibus enumerandis
fortasse totum versum primum absumpsit; quod quominus
credamus nihil iam obstat, cum scriptoris nomen in summa
tabula fuisse verisimile sit. huc igitur direxi supplementum.
inquirentibus enim in Marmoris fontes non annales tantum
ad componendum chronicum Parium hominem adhibuisse
statim apparebit, sed historias etiam, quales Ephorus con-
scripserat. quae tentavi etsi satis conveniunt lacunae spatio,
tamen longe abest, ut certa esse credam.

## Ep. 1.

'Αφ' οὗ Κέκροψ 'Αθηνῶν ἐβασίλευσε καὶ ἡ χώρα Κεκροπία
ἐκλήθη τὸ πρότερον καλου μένη 'Ακτικὴ ἀπὸ 'Ακταίου τοῦ αὐτόχθονος,
ἔτη 1318 (1581/0).

*Supplementa:* —

*Testimonia:* 1) Biblioth. III 177 Κέκροψ αὐτόχθων . . .
τῆς 'Αττικῆς ἐβασίλευσε πρῶτος καὶ τὴν γῆν πρότερον λεγομένην
'Ακτὴν ἀφ' ἑαυτοῦ Κεκροπίαν ὠνόμασεν. 2) Euseb. chron. a.
Abr. 461. 472 Κέκροψ ὁ διφυὴς τῆς τότε 'Ακτῆς, νῦν δὲ 'Αττικῆς
ἐβασίλευσεν ἔτη ν. — ἀπ' αὐτοῦ δὲ Κεκροπία ἡ χώρα ἐκλήθη.
3) Schol. Apoll. Rhod. A 95 Κεκροπία γὰρ λέγεται ἡ 'Αττικὴ
ἀπὸ Κέκροπος τοῦ βασιλεύσαντος. 4) Steph. Byz. p. 371, 19
Κεκροπία χώρα . . ἀπὸ Κέκροπος.

*

5) Strabon IX p. 397 'Αττικὴν μὲν γὰρ ἀπὸ 'Ακταίωνός φασιν,
'Ατθίδα δὲ καὶ 'Αττικὴν ἀπὸ 'Ατθίδος τῆς Κραναοῦ. 6) Pausan.
I 2,6 'Ακταῖον λέγουσιν ἐν τῇ νῦν 'Αττικῇ βασιλεῦσαι πρῶτον.
ἀποθανόντος δὲ 'Ακταίου Κέκροψ ἐκδέχεται τὴν ἀρχὴν θυγατρὶ
συνοικῶν 'Ακταίου. Cecropem Cranaus excepit, a cuius filia
ὀνομάζουσιν 'Αττικὴν τὴν χώραν, πρότερον καλουμένην 'Ακταίαν.
7) Steph. Byz. p. 64,6 (Harpocr. Suid s. v. 'Ακτή): 'Ακτή
οὕτως ἡ 'Αττικὴ ἐκαλεῖτο ἀπὸ 'Ακταίου τινός. ἀνὴρ δὲ ἦν αὐτόχθων,
ὡς Φαβωρῖνος, ὃς ἐβασίλευσεν ἐκεῖ καὶ ἀφ' ἑαυτοῦ οὕτως τὴν
χώραν ὠνόμασε καὶ τοὺς λαούς. 8) Tatian. ad Graec. 39 'Ακταῖος,
ἐφ' οὗ καὶ 'Ακταία ἡ 'Αττικὴ

Cecrops utrum ex chronographi sententia totam regionem,
quae Attica appellatur, an Athenarum tantum urbem imperio
tenuerit, ex verbis sollemnibus 'Αθηνῶν ἐβασίλευσε diiudicari
nequit, quippe quae in duas sententias accipi possint. illud
verum esse additamentum docet, quo nomen mutasse regionem,
postquam Cecrops regnare coepit, chronographus refert. quibus
e verbis cum intellegatur Κεκροπία vocabulum idem significare in Marmore atque 'Αττικὴ, statim quaerendum est,
quo nomine urbem appellaverit Atthis illa, qua chronographus
usus est. quam quaestionem ut diiudicemus, adhibenda
sunt aliorum scriptorum quae supra exscripsi testimonia.

quae si perlustraverimus, Apollodori quae vulgo dicitur Bibliothecae (test. 1 et Bibl. III 180) ita convenire cum Marmore apparebit, ut dubitari non possit, quin ex eodem fonte uterque hauserit. refert autem Bibliothecae auctor (III 179) Minervam, postquam terra Attica ei adiudicata sit, urbem de se ipsa nominasse Athenas. accedit Eusebius, qui in Canone p. 6, 39. a. Abr. 468 (cf. test. 2 et Augustin. d. civ. dei 18, 8.9) Cecropem ἀπὸ τῆς Ἀθηνᾶς τὴν πόλιν Ἀθήνας appellasse tradit. unde iusto iure concludemus in Atthide illa, qua Parius etiam usus est, urbi quidem Athenae nomen fuisse, toti regioni Cecropiae. neque obstat ep. 10, qua Erichthonium demum Athenienses vocasse chronographus contendit. nam illum omnes Atticae incolas reiecto antiquiore Cecropidarum nomine, quo inde a Cecropis temporibus utebantur, ab Athenis Athenienses nominasse Panathenaea ab eo instituta luce clarius docent.

Discrepantiam igitur extitisse videmus inter Philochorum et Marmoris auctorem nam etsi uterque Atticam, quo tempore imperium teneret Cecrops, e duodecim civitatibus (cf. ep. 20) constitisse dixit, alter totam regionem alter urbem Cecropiam appellatam esse contendit. Philochorus quid senserit, apud Strabonem (IX p. 397) legitur: φησὶ Φιλόχορος πορθουμένης τῆς χώρας ἐκ θαλάττης μὲν ὑπὸ Καρῶν, ἐκ γῆς δὲ ὑπὸ Βοιωτῶν, οὓς ἐκάλουν Ἄονας, Κέκροπα πρῶτον εἰς δώδεκα πόλεις συνοικίσαι τὸ πλῆθος, ὧν ὀνόματα Κεκροπία Τετράπολις Ἐπακρία Δεκέλεια Ἐλευσίς Ἄφιδνα . . Θορικός Βραυρών Κύθηρος Σφηττός Κηφισιά. [duodecimi oppidi nomen librariorum culpa excidit. verisimile est Munichiam fuisse. cave Athenas supplendas esse censeas, quippe quae sub Cecropiae nomine primum obtineant locum; quod recte. intellexit Eustath. ad Dionys. 423 τὴν δὲ τῶν Ἀθηναίων ἀκρόπολιν Κεκροπίαν ποτὲ κληθῆναί φασι, πόλιν οὖσαν μίαν τῶν ἐπὶ Κέκροπος ἐκτισμένων], πάλιν δὲ ὕστερον εἰς μίαν πόλιν συναγαγεῖν λέγεται τὴν νῦν τὰς δώδεκα Θησεύς. non igitur miramur, quod in catalogo nominum (apud Strabon. l. l.), quae per tempus mythicum Atticae imposita esse dicunt, Cecropiae vocabulum deest, quippe quod ex Philochori quidem sententia, cuius e libris hunc quoque catalogum Strabo mutuatus est, numquam regionem, semper urbem sive potius arcem significaverit, donec Theseus, postquam regnare coepit, duodecim oppidis in unam civitatem coactis novae urbi Athenarum nomen indidit. Philochori sententiam, quae inde repetenda est, quod arx̣ semper a poetis Cecropia vocari solebat, amplexus est Inventorum scriptor, quo utitur Plin. n. h. VII 194 *oppidum Cecrops a se appellavit Cecropiam, quae nunc est arx **Athenis**.* cf. Schol. Aristoph. Plut. 773. Suid. s. Κεκροπίς, Κέκροψ, Ἐπακτρία. Etym. M. p. 352, 53. Tzetzes ad Lycophr. 111 ratio simplicior sane est, quam quod Parius ante Cecropem Acticam, deinde Cecropiam, denique Atticam appellatam esse regionem contendit.

At non de urbis nomine solum discrepat inter Parium chronographum sive potius inter annalium Atticarum, quibus usus est, scriptorem et Philochorum. altera eaque gravior extitit discrepantia, quis primus regnaverit Athenis. Cecropem primum omnium fuisse regem vulgo credebatur. testis Thucydides, qui quin in libri II cap. XV scribendo rerum Atticarum scriptorem nescio quem adhibuerit equidem non dubito (ἐπὶ γὰρ Κέκροπος καὶ τῶν πρώτων βασιλέων κτλ.). neminem, qui ante Cecropem regnaverit Athenis, Herodotus novit (IX 44). ille αὐτόχθων vocatur (Biblioth. III 177. Anonym. De incred. = Exc. Vat. 1. Euseb. praep. ev. X 9,19) et γηγενής. contra Parius chronographus, etsi procul dubio primum regem habuit₁ Cecropem, cum res gestas enarraret ἀπὸ Κέκροπος τοῦ πρώτου βασιλεύσαντος Ἀθηνῶν, tamen ante eum Actaeum quendam posuit, quem sicut Stephanus (test. 7) Terrae filium appellavit. ille Actaeus a se regionem appellaverat Acticam, filiaque eius in matrimonium accepta simul etiam regnum accepit Cecrops. nonnemagis sibi constitisset chronographus, si non Cecropem sed Actaeum primum in Attica imperium tenuisse dixisset? quo modo Pausaniam rem egisse testim. 6 docet. at haec minora, cum qua inconstantia in eiusmodi rebus chronographus fuerit satis notum sit. gravius est, quod Philochorus omnino fuisse negat Actaeum regem: Euseb. Praep. ev. X 10,14 τὸν γὰρ μετὰ Ὠγυγὸν Ἀκταῖον ἢ τὰ πλασσόμενα τῶν ὀνομάτων οὐδὲ γενέσθαι φησὶ Φιλόχορος. chronographus igitur, cum ante Cecropem neminem commemorat nisi Actaeum omissis aliis qui praeter illum iam ante Cecropis initia regnasse dicebantur regibus, velut Porphyrione (Pausan. I 14,7), Periphante (Anton. Lib. 6. Ovid. met. VII 400), Colaeno (Pausan. I 31,5), Municho aliis, medium tenet locum inter Philochorum et annalium scriptores, qui fabulares illos reges in tabulas chronicas retulerant adiectis annorum, quos quisque regnasset, numeris. extitisse autem eiusmodi libros vel antequam Parius homo chronographiam composuit, sat certo inde efficitur, quod Philochorus eos impugnavit; qui ut fieticios illorum fastos esse probaret. multis regum nominibus auctos atque amplificatos, nobili illo proverbio usus esse videtur πολλὰ ψεύδονται ἀοιδοί (ἐμνήσθη ταύτης καὶ Φιλόχορος ἐν ᾿Ατθίδος α΄. Schol. Plat. Π. Δικ. 374a) e posterioris aetatis scriptoribus Charax initium chronographiae sumpsit non a Cecrope, sed ab Ogygo. contra eodem quo Parius modo rem egit Pausaniae auctor in rebus Atticis enarrandis (test. 6), quippe qui repudiatis „fictis regum nominibus“ quae vocaverat Philochorus omnibus unum Actaeum agnosceret.

Quis primus ultra Cecropem fastos Atticos produxerit, non constat. Acusilaum fuisse Argivum Frickius probare studuit (Progr. Hoexter. 1880 p. 5), qui Busoltium (Gr. G ² I p. 149 II p. 5) nanctus est plausorem. in quo egregie fallitur vir doctus, cum e loco Eusebiano (Praep. ev. X 10), quo uno eius ratio nititur, non nisi verba Φορωνέως ᾿Αργείων βασιλεύοντος ad Acusilaum revocanda sint. at memoratu haud indignum mihi esse videtur, quod Scamon ἐν τῆι δευτέραι τῶν Εὑρημάτων (Suid. s. Φοινικήια γράμματα) Actaeum quattuor filiarum habet patrem — sunt autem Aglauros Herse Pandrosos Phoenice —, quarum tres apud alios scriptores Cecropis filiae fuisse dicuntur. [quo modo Scamon et praeter Scamonem Andron et Menecrates (Schol. Dionys. Thrac. p. 184, 25 edit Hilgard ) litteras in honorem Phoenices, quia virgo adhuc obierat, Phoenicias appellatas esse tradunt, eodem modo Atticam ab Athide Cranai filia et ea virgine adhuc mortua nominatam esse multi sunt, qui dicant.] Scamon autem Hellanici historici filius fuisse dicitur (Suid. s. v.) quod cur falsum esse credamus nulla est causa. Actaei filiam Aglaurum Cecropi nupsisse Euripides quoque statuit, qui in Jone (v. 23. 496) παρθένους 'Αγλαυρίδας et 'Αγλαύρου κόρας τριγόνους commemoravit. Pherecydes etiam Atticam significat, cum Telamonem Salaminium Actaeo patre natum esse affirmat (Bibl. III 158 cf. Wilamowitzium Homer. Unters. 246, 10. Töpfferum Att. Geneal. 273, 1). Hellanicum autem regum illorum, qui post Cecropem in Attica fuerunt, seriem composuisse verisimile est, cum Herodotus (I 173 VIII 44) quattuor tantum nomina inde a Cecrope usque ad Theseum noverit. e regibus, qui ante Cecropem regnaverunt, Munichum (Harpocr. s. v. Μουνιχία Schol. Demosth. XVIII 107) et Colaenum (Schol. Aristoph. av. 873) eum nominasse e fragmentis colligitur. quos reges haud scio an ille iam in temporum ordinem redegerit; quamquam negat eum fecisse Niesius (Hermes XXIII 1888 p. 83). si non Hellanicus, at certe unus ex vetustissimis annalium scriptoribus regum laterculos et auctos et ultra Cecropem productos composuit.

Chronographus Parius, quod supra iam dixi, omissis his regibus praeter Actaeum omnibus — [quae nominis forma etiam in testim. 6. 7. 8 obvia est; 'Ακταίων appellatur test. 5, apud Harpocr Suid. s 'Ακτή, Suid. s. Φοινικήια γράμματα, Etym M p. 54, 14, Schol. Dionys. Thrac. p. 184, 25. 192, 6. utramque formam novit Eustath. ad Dionys. 423. 'Ακτεύς vocatur a Tzetza ad Lycophr. 111] — id egisse videtur, ut haberet, a quo priscum Atticae nomen derivaret. quod opus non fuisset, si nota ei fuisset alia nominis derivatio, quae via ac ratione procedens a situ et natura terrae nomen repetiit. sic nomen enodavit Apollodorus grammaticus, cuius verba apud Stephanum Byzant. servata sunt, ubi testim. 7. excipiunt: 'Απολλόδωρος δὲ τἀναντία φησίν. οὕτω γὰρ ἐκλήθη διὰ τὸ πολὺ μέρος αὐτῆς καθικνεῖσθαι εἰς θάλασσαν. τριγώνου γὰρ οὔσης αἱ συννεύουσαι ἐπὶ τὸ Σούνιον ἑκατέρωθεν δύο πλευραὶ παράλιοι τυγχάνουσι. δι' ἃς τῶν ἐπὶ Κέκροπος φυλῶν τεττάρων οὐσῶν δύο προσηγόρευσαν 'Ακταίαν καὶ Παραλίαν (cf Polluc. VIII 109. Strabon. IX p. 391. Harpocr. Suid. s. 'Ακτή).

### Ep. 2.

'Αφ' οὗ Δευκαλίων παρὰ τὸν Παρνασσὸν ἐν Λυκωρείαι ἐβασί-λευσε, [βα]σιλε[ύ⁶ο]ντος 'Αθηνῶν Κέκροπος, ἔτη 1310 (1573/2).

*Supplementa:* —

*Testimonia:* 1) Euseb. can. a. Abr. 481 Δευκαλίων βασιλεύ-ειν τῶν κατὰ τὸν Παρνασσὸν ἤρξατο.

Nono Cecropis anno Deucalion regnare coepit Lycoreae, quod est oppidum sub Parnasi iugo situm, unde Athenas profugere coactus est (ep. 4), cum aquarum illuvies, quam Deucalionis diluvium (τὸν ἐπὶ Δευκαλίωνος κατακλυσμόν) ex ipsius nomine vocare solebant, maximam Graeciae partem inundaret, quod ex Parii sententia tertio Cranai anno factum est, 45 annis postquam ipse Deucalion regnare coepit. quae ita exposuit auctor, ut dubium non sit, quin ex Atheniensium annalibus Deucalionis res mutuatus sit; quod eo diligentius commemorandum esse videtur, quo accuratius in enarrandis Deucalionis filiorum rebus (ep. 5. 6) Pario cum communi fama convenit. neque difficile est ad intellegendum, quo consilio ita rem egerint scriptores Attici. sic enim facillime se effecturos esse putabant, ut primum Atheniensium regem aetate priorem fuisse appareret quam Deucalionem, quem vulgo genus hominum condidisse credebant, si ipsis Athenis refugio eum usum esse affirmabant. simul etiam effecerunt, ut una omnium Athenarum urbs a diluvio vacasse videretur ita ut iidem semper homines inde ab antiquissimis tempo-ribus perpetuo terram Atticam tenuissent. quae omnia ut perficerent, haud quidquam aliud atque locorum ordine inverso e Parnaso Athenas confugisse Deucalionem contenderunt, cum vulgo e contraiio Parnasum eum appulisse, ut imbres effu-geret, scriptores traderent velut apud Pindarum Ol. IX 43 Πύρρα Δευκαλίων τε Παρνασσοῦ καταβάντε aquis dilapsis Opun-tiorum urbem condiderunt cf. Schol. Apoll. Rhod. B 711 (Etym. M. p 655, 5. Steph. Byz. p 506, 9) ὠνομάσθη δὲ

Παρνασσὸς ἀπὸ Παρνησσοῦ τοῦ ἐγχωρίου ἥρωος, ὡς Ἑλλάνικος. Ἄνδρων δέ, ἐπειδὴ προσωρμίσθη ἡ λάρναξ τοῦ Δευκαλίωνος. καὶ τὸ πρότερον Λαρνασσὸς ἐκαλεῖτο; Biblioth. I 48, Lucian. Timon 3, Ovid. met I 317 alios. quid, quod fuerunt, qui ipsam Lycoreae urbem a Parnasi oppidi incolis conditam esse dicerent, quo tempore imbribus continuis de caelo effusis refugia montium quaererent: Pausan. X 6, 2 ταύτην μὲν οὖν κατακλυσθῆναι τὴν πόλιν ὑπὸ τῶν ὄμβρων τῶν κατὰ Δευκαλίωνα συμβάντων, τῶν δὲ ἀνθρώπων, ὅσοι διαφυγεῖν τὸν χειμῶνα ἠδυνήθησαν, λύκων ὠρυγαῖς ἀπεσώθησαν ἐς τὰ Παρνασοῦ τὰ ἄκρα ὑπὸ ἡγεμόσι τῆς πορείας τοῖς θηρίοις, πολιν δὲ ἣν ἔκτισαν ἐκάλεσαν ἐπὶ τούτωι Λυκωρείαν. [ceterum Lycoreae nomen alii aliter enodabant. cf. Pausan X 6, 3. Steph. Byz. p. 422, 15. Etym. M. p. 571, 47. Schol. Apoll. Rhod. B 711 Δ 1490.]. vides quantum rerum memoria differat apud scriptores, quorum alii Lycoream ab illis conditam esse tradunt, qui diluvium effugerant, alii eandem urbem ab incolis relictam esse, ut imbres evitarent. ceterum etiam sunt, qui non ad Parnasum montem Deucalionem appulisse dicant, sed ad Othrym montem, velut Hellanicus, cuius sententiam Apollodorus servavit (Strab. IX p. 425. Schol. Pind. Ol. IX 64); unde explicatur, cur Ὀθρηΐδα νύμφην duxerit Hellen Deucalionis filius (Schol. Plat. Symp. 208d. idem nomen in Biblioth. I 49 reponendum est.). alii alios montes enumeraverunt; velut Atho Servius ad Verg. ecl. VI 41, Aetnam Hygin. f. 153.

Magna praeterea diversitas est tradentium, quo in loco post diluvium sedem et domicilium constituerit Deucalion. Athenis eum habitasse ibique diem obiisse Atticarum rerum scriptores, quos Parius chronographus secutus est, affirmant, Cyni Hellanicus, Opunte Pindarus. [apud Opuntios postea Amphictyon Deucalionis filius regnavit: Ps. Scymn. 587. Λοκροί, ὧν πρῶτος ἦρξεν, ὡς λέγουσ᾽, Ἀμφικτύων ὁ Δευκαλίωνος. etiam Orestheus, quem filium Deucalionis Hecataeus habet (Schol. Thucyd. I 3, 2. Athenae. I 35 a b), Locrorum rex fuisse dicitur (Pausan. X 38,1). denique ipse Deucalion dux Aetolorum Locrorum aliorum qui circa Parnasum habitabant Pelasgos e Thessalia expulit (Dionys. AR I 17,3).]

At plerique e scriptoribus neque Athenis neque apud Locros sed in Thessalia et quidem in Phthiotide habitasse tradunt Deucalionem. Thessaliam piopter diluvium relinquere cogitur, revertitur in Thessaliam, postquam aquae dilapsae sunt. (Hellanicus ἐν πρώτωι τῆς Δευκαλιωνείας Schol Apoll. Rhod. Γ. 1086. Castor in Euseb. Chron. I 184,16 Biblioth. I 46. Strabo IX p. 432. Conon f. 27 Justin. II 6,11). in Thessalia sedes habent eius liberi, inter quos Hellen primarium obtinet locum (Hesiodus et Hecataeus Schol. Apoll. Rhod Δ 266. Herodot I 56. Thucyd. I 3,2. Strabo IX p. 432. Biblioth. I 50. Dionys. AR I 17,3) a quibus omnibus dissentit Aristoteles, cum diluvium Dodonae locum habuisse contendit (meteor I 14 p. 352a 33): ὁ καλούμενος ἐπὶ Δευκαλίωνος κατακλυσμός. καὶ γὰρ οὗτος περὶ τὸν Ἑλληνικὸν ἐγένετο μάλιστα τόπον, καὶ τοῦτο περὶ τὴν Ἑλλάδα τὴν ἀρχαίαν. αὕτη δ' ἔστιν ἡ περὶ Δωδώνην καὶ τὸν Ἀχελῷον. οὗτος γὰρ πολλαχοῦ τὸ ῥεῦμα μεταβέβληκεν. ᾤκουν γὰρ οἱ Σελλοὶ ἐνταῦθα καὶ οἱ καλούμενοι τότε μὲν Γραικοί, νῦν δὲ Ἕλληνες. quibuscum conferas, quae Acestodorus et Thrasybulus de Deucalione post diluvium Dodonam migrante tradunt (FHG II 464. ἔνιοι apud Plutarch. Pyrrh. 1). quae sententia quomodo et quo tempore orta sit egregie docuit U. Koehlerus (Satura Sauppio oblata 1879 p. 83) „fabulam, quae est de sacro Dodonaeo a Deucalione post diluvium condito, circa initia saeculi quarti ortam esse dico, quo tempore is erat in Molossis animorum motus et impetus, ut Hellenes et haberi et esse utique vellent . . . . (fabulam) Aristoteles eo magis arripuit, quia inter Hellenes et Sellos adfinitatem quandam intercedere, qua ea confirmaretur, perspexisse sibi visus est.“

Alia quae de Deucalionis diluvio traduntur utpote minoris momenti missa faciam. commemoranda tamen est quae apud Argivos extitit de eius fatis fabula, cum proxime accedat ad earum fabularum similitudinem, quibus et Athenienses et Molossi suum vindicabant Deucalionem. pertinet illa quoque ad Jovis sacrum aliquod, quo post diluvium condito deis pro salute gratiam Deucalion retulit aram enim consecrasse dicitur ab Atheniensibus quidem Jovi Olympio (ep. 4), a Molossis Jovi Dodonaeo, ab Argivis denique Jovi quem Ἀφέσιον vocabant. (Arrian. Etym. M 176,33 Ἀφέσιος Ζεὺς ἐν Ἄργει τιμᾶται εἴρηται δὲ ὅτι Δευκαλίων τοῦ κατακλυσμοῦ γενομένου διαφυγὼν καὶ εἰς τὴν ἄκραν τῆς Ἄργους διασωθεὶς ἱδρύσατο βωμὸν Ἀφεσίου Διός, ὅτε ἀφείθη ἐκ τοῦ κακακλυσμοῦ.)

Regis nomen in extrema epocha ante annorum numerum positum legitur, quod lapidario tribuerim, cum in reliquis epochis omnibus annorum numerus archontum vel regum nomina piaecedat

Ep. 3.

Ἀφ᾽ οὗ δίκη Ἀθήνησι [ἐγέ]νετο Ἄρει καὶ Ποσειδῶνι ὑπὲρ Ἁλιρροθίου τοῦ Ποσειδῶνος, καὶ ὁ τόπος ἐκλήθη Ἄρειος πάγος, ἔτη 1268 (1531/0), βασιλεύοντος Ἀθηνῶν Κρ[ανα]οῦ.

*Supplementa:* —

*Testimonia:* 1a) Suid. s. Ἄρειος πάγος (Etym. M p. 139, 14. Bekker. Anecd p. 444,8) ἐκλήθη δὲ καὶ Ἄρειος πάγος, ... ὅτι ἔπηξε τὸ δόρυ ἐκεῖ (sc. Ἄρης) ἐν τῆι πρὸς Ποσειδῶνα ὑπὲρ Ἁλιρροθίου δίκηι, ὅτε ἀπέκτεινεν αὐτὸν βιασάμενον Ἀλκίππην τὴν αὐτοῦ κὸι Ἀγραύλου τῆς Κέκροπος θυγατρός, ὥς φησιν Ἑλλάνικος ἐν α'. b) Schol Eurip Or. 1648 (cf. Wilamowitzii Comm. gramm. IV 11) περὶ τῆς Ὀρέστου κρίσεως ἐν Ἀρείωι πάγωι ἱστορεῖ κὸι Ἑλλάνικος ταῦτα γράφων. τοῖς ἐκ Λακεδαίμονος ἐλθοῦσι καὶ τῶι Ὀρέστηι οἱ Ἀθηναῖοι * * ἔφρασαν. τέλος δὲ ἀμφοτέρων ἐπαινούντων οἱ Ἀθηναῖοι τὴν δίκην ἐνέστησαν. ἐννέα δὲ γενεαῖς ὕστερον μετὰ τὴν Ἄρει καὶ Ποσειδῶνι περὶ Ἁλιρροθίου δίκην κτλ. 2) Steph Byz p 117,3 Ἄρειος πάγος . . Φιλόχορος δ᾽ ἐν Ἀτθίδος δευτέρωι βίβλωι, ὅτι Ἁλιρρόθιον τὸν Ποσειδῶνος ἀποθανεῖν ὑπὸ Ἄρεος βιαζόμενον τὴν Ἀλκίππην τὴν αὐτοῦ θυγατέρα. 3) Biblioth. III 180 Ἀγραύλου μὲν οὖν καὶ Ἄρεος Ἀλκίππη γίνεται. ταύτην βιαζόμενος Ἁλιρρόθιος ὁ Ποσειδῶνος καὶ νύμφης Εὐρύτης ὑπὸ Ἄρεος φωραθεὶς κτείνεται Ποσειδῶν δὲ ἐν Ἀρείωι πάγωι κρίνεται, δικαζόντων τῶν δώδεκα θεῶν, Ἄρει καὶ ἀπολύεται 4) Euseb. can. a. Abr. 509 Ἄρειος πάγος ἐκλήθη καὶ δικαστήριον κατέστη. 5a) Pausan. I 21,4 Ποσειδῶνος παῖδα Ἁλιρρόθιον θυγατέρα Ἄρεως Ἀλκίππην αἰσχύναντα ἀποθανεῖν ὑπὸ Ἄρεως καὶ δίκην ἐπὶ τούτωι τῶι φόνωι γενέσθαι πρῶτον. b) I

2

28,5 ἔστι δὲ ᾿Άρειος πάγος καλούμενος, ὅτι πρῶτος ῎Αρης ἐνταῦθα ἐκρίθη . . κριθῆναι δὲ καὶ ὕστερον ᾿Ορέστην. 6) Agallis Corcyraea Schol. Il. Σ 483. 490. 7) Aristid. or. XIII (I p. 170 ed. Dind.) cum scholiis (p. 64 sq.) 8) Lucian. d. salt. 39. 9) Etym. M. p. 590. 46. 10) Serv. ad Verg. ge. I 18. 11) Schol. Juv. vet. IX 101.

12a) Euripides El. 1258 sq. ἔστιν δ᾿ ῎Αρεώς τις ὄχθος, οὗ πρῶτον θεοὶ / ἕζοντ᾿ ἐπὶ ψήφοισιν αἵματος πέρι / , ῾Αλιρρόθιον ὅτ᾿ ἔκταν᾿ ὠμόφρων ῎Αρης, / μῆνιν θυγατρὸς ἀνοσίων νυμφευμάτων / πόντου κρέοντος παῖδα κτλ. b) Iph T. 945 sq. ἔστιν γὰρ ὁσία ψῆφος, ἣν ῎Αρει ποτὲ / Ζεὺς εἷσατ᾿ ἐκ τοῦ δὴ χερῶν μιάσματος. 13) Demosth. XXIII 66 ἐν μόνωι τούτωι τῶι δικαστηρίωι θεοὶ δίκας καὶ δοῦναι καὶ λαβεῖν ἠξίωσαν καὶ δικασταὶ γενέσθαι διενεχθεῖσιν ἀλλήλοις, ὡς λόγος, λαβεῖν μὲν Ποσειδῶν᾿ ὑπὲρ ῾Αλιρροθίου τοῦ υἱοῦ παρ᾿ ῎Αρεως, δικάσαι δ᾿ Εὐμενίσιν κἀι ᾿Ορέστηι τοὺς δώδεκα θεούς. 14) Dinarch. I 87 κρίσει Ποσειδῶν ἀποτυχὼν τῆι ὑπὲρ ῾Αλιρροθίου πρὸς ῎Αρη γενομένηι ἐνέμεινεν. αὐταὶ αἱ σεμναὶ θεαὶ τῆι πρὸς ᾿Ορέστην ἐν τούτωι τῶι συνεδρίωι κρίσει γενομένηι κτλ. 15) [Aeschin.] ep. XI 8 ὅτι ῎Αρης πρὸς Ποσειδῶνα ὑπὲρ ῾Αλιρροθίου ἐν ᾿Αρείωι πάγωι ἐκρίθη. 16) Liban. decl. IV 402—419 R.

Quattuor actiones adversus homicidas tempore mythico Athenis institutas esse sedentibus Areopagitis, iam Hellanicus (test. 1ᵇ cf. Nicol. Damasc. fr. 34 FHG III 374) memoriae tradidit totidemque sine ullo dubio in omnibus annalibus Atticis enumerabantur. e quibus eodem quo Pausanias (test 5ᵇ) Demosthenes (13) Dinarchus (14) modo duas easque nobilissimas selegit chronographus, quas in tabulas suas referret (ep. 3. 25).

In Areopagi vocabulo a Martis nomine repetendo etsi consentiunt scriptores quos quidem noverimus omnes, tamen summa est dissensio, quomodo factum sit, ut ab hoc potissimum deo nomen duxerit iudicium nobilissimum. e tribus autem quae de hac re exstant sententiis — composuerunt scholiasta ad Aristid p. 64 sq. et Etym. M. p. 139, 8 sqq. — prima, quam in Atthide sua Parius chronographus invenit, Atticarum rerum scriptorum cum plerisque tum gravissimis

placuit; velut Hellanico Philochoro aliis. quod haud ita
miramur, cum probata ea a temporibus quam maxime remotis
iudicii origo repetatur. altera autem Areopagi vocabulum
inde explicat, quod sive Amazones, utpote Martis filiae, sive
ipse Mars, ut earum cladem ulcisceretur, hoc in colle castra
posuerint, cum Theseo et Atheniensibus bellum inferrent.
quae nominis enodatio aut placuit Aeschylo aut ab eo inventa
est. nam ille, cum Orestis causa Minervam illud iudicium
regnante Athenis Demophonte instituisse fingeret, actiones
vetustiores, si earum notitiam habuit, missas facere coactus
est. quae cum ita essent, etiam nomen aliter explicandum
erat. quod quomodo fecerit, ex Eumenidum fabulae vv. 684
sqq. (cf. Clidemum ap. Plut. Thes. 27. Biblioth. epit. I 16.
Eustath ad Dionys. 658) intellegitur:

> Κλύοιτ' ἂν ἤδη θεσμόν, 'Αττικὸς λεώς,
> πρώτας δίκας κρίνοντες αἵματος χυτοῦ
> ἔσται δὲ καὶ τὸ λοιπὸν Αἰγέως στρατῶι
> αἰεὶ δ' ἑκάστων τοῦτο βουλευτήριον.
> πάγον δ' "Αρειον τόνδ' 'Αμαζόνων ἕδραν
> σκηνάς θ', ὅτ' ἦλθον Θησέως κατὰ φθόνον
> στρατηλατοῦσαι, καὶ πόλιν νεοπτόλιν
> τήνδ' ὑψίπυργον ἀντεπύργωσαν τότε,
> "Αρει δ' ἔθυον, ἔνθεν ἔστ' ἐπώνυμος
> πέτρα πάγος τ' "Αρειος.

tertia denique nominis derivatio ("Αρειος πάγος. ὅτι ἐν
τῶι πάγωι ἐστὶ καὶ ἐν ὕψει τὸ δικαστήριον "Αρειος δέ, ἐπεὶ τὰ
φονικὰ δικάζει, ὁ δὲ "Αρης ἐπὶ τῶν φόνων. Suid. s. "Αρειος
πάγος. Charax in Schol. Aristid. l. l.) quae grammaticis
potissimum probata erat, haud scio an collato Stephani loco
quodam (p. 117, 1 "Αρειος πάγος, ἀκρωτήριον 'Αθήνησιν, ὡς
'Απολλόδωρος ἐν τῶι Περὶ Θεῶν ἐνάτωι, ἐν ὧι τὰς φονικὰς κρίσεις
ἐδίκαζον, διὰ τὰς ἀπὸ τοῦ σιδήρου γενομένας μιαιφονίας) ad Apollo-
dorum revocanda sit, quem via et ratione procedentem etiam
in aliis rebus Atticis, velut in terrae nomine derivando
(ep. 1), reicisse tam poetarum quam annalium scriptorum
commenta supra intelleximus.

### Ep. 4.

Ἀφ' οὗ κατακλυσμὸς ἐπὶ Δευκαλίωνος ἐγένετο καὶ Δευκαλίων
τοὺς⁷ ὄμβρους ἔφυγεν ἐγ Λυκωρείας εἰς Ἀθήνας πρὸ[ς Κρανα]ὸν
καὶ τοῦ Διὸ[ς το]ῦ Ὀ[λυ]μ[πί]ου τὸ ἱ[ε]ρὸν ἰδ[ρύσατ]ο [καὶ] τὰ
σωτήρια ἔθυσεν, ⁸[ἔ]τη 1265 (1528/7), βασιλεύοντος Ἀθηνῶν
Κρ[α]ν[α]οῦ.

*Supplementa*: πρό[τερ]ον καὶ τοῦ Διὸ[ς πα]υο[μένου] δ[ι'
ἑαυ]τοῦ τὸ ἱρ[ὸν Ἀπόλλ]ονι (!) δ[ομήσατ]ο **P** (almerius) πρὸ[ς
Κρανα]ὸν καὶ τοῦ Διὸ[ς Φυξίου καὶ Ὀλυ]μ[πί]ου τὸ ἱερὸν ἰδ[ρύσα-
τ]ο **Pr**(ideaux) Διὸ[ς το]ῦ Ὀ[λυ]μ[π']ου **C** (handlerus). Διό[ς
το]ῦ Ὀ[μβρίου Ἀπη]μ[ί]ου **B**.

*Testimonia:* 1) Pausan. I 18, 7. 8 ἔστι δὲ ἀρχαῖα ἐν
τῶι περιβόλωι Ζεὺς χαλκοῦς καὶ ναὸς Κρόνου καὶ Ῥέας καὶ
τέμενος Γῆς ἐπίκλησιν Ὀλυμπίας. ἐνταῦθα ὅσον ἐς πῆχυν τὸ ἔδα-
φος διέστηκε, καὶ λέγουσι μετὰ τὴν ἐπομβρίαν τὴν ἐπὶ Δευκαλίωνος
συμβᾶσαν ὑπορρυῆναι ταύτηι τὸ ὕδωρ, ἐσβάλλουσί τε ἐς αὐτὸ ἀνὰ
πᾶν ἔτος ἄλφιτα πυρῶν μέλιτι μάξαντες . . . τοῦ δὲ Ὀλυμπίου Διὸς
Δευκαλίωνα οἰκοδομῆσαι λέγουσι τὸ ἀρχαῖον ἱερόν, σημεῖον ἀποφαί-
νοντες, ὡς Δευκαλίων Ἀθήνησιν ὤικησε, τάφον τοῦ ναοῦ τοῦ νῦν
οὐ πολὺ ἀφεστηκότα   2) Strab. IX p. 425 τοῦ δὲ Δευκαλίωνος
Ἀθήνησι (sc. δείκνυται σῆμα).

Pausaniae verba quae supra exscripsi quin ex libro aliquo
ad res Atticas pertinente excerpta sint, nemo est qui dubitet.
quo simul confirmatur, quod ad epocham alteram adnotavi,
ex Atheniensium annalibus chronographum pendere in Deucalionis rebus enarrandis, et necessarie demonstratur unice
probandum esse quod Chandlerus protulit lacunae supplementum, Jovi scilicet Olympio sacrum condidisse Deucalionem,
cum Athenas se contulisset, ut ab aquarum illuvie servaretur.
quod supplementum quominus cupide arripiamus, non ob-
stant neque lacunarum spatia, qualia indicavit Seldenus,
neque litterarum reliquiae, quas in loco lacunoso detexisse
sibi visus est, cum supra iam dictum sit, quam neglegenter
has res administraverit vir alioquin debita laude non frau-
dandus. neque difficile est intellectu, quomodo explicanda
sint, quae hoc loco in lapide se legisse testatur: ΔΙΟ . . . ΥΟ

. . Δ . . . ΜΤΟΥ. Δ erat Λ, ΜΤΟΥ autem ΜΠΙΟΥ; lacunam, quae post Δ est, iusto maiorem reddidit. quod denique lacunam trium litterarum ante Δ indicavit, quam in lapide non fuisse apparet, saepissime in eiusmodi errores lapsus est. quamquam non repugnabo, si quis typothetae errore lacunae notas et ante Δ et post Δ positas esse sibi persuaserit. nam eodem modo haeres, utrum ipsi Seldeno an typothetae tribuas quae sequuntur ΙΡ . . ΟΝ, cum novo lapidis fragmento invento nemo iam dubitare possit, quin hic quoque ΙΕΡΟΝ reponendum sit, sive Seldenum pro ΕΡ legisse credas Ρ . . , sive typotheta litteras et puncta locum inter se mutare iusserit.

Utcumque autem res erit, neque quae Prideauxius protulit collato Bibliothecae loco quodam (I 48 Δευκαλίων δὲ . . τῶι Παρνασσῶι προσίσχει κἀκεῖ τῶν ο῎μβρων παῦλαν λαβόντων ἐκβὰς θύει Διὶ Φυξίωι) probari possunt, cum nullum Iovis Phyxii sacrum fuerit Athenis, neque quae proposita sunt a Boeckhio, quippe quae iisdem Pausaniae verbis, quibus nititur vir doctissimus, et commendari videantur et refutentur (I 32,2 ἔστι δὲ ἐν τῇι Πάρνηθι καὶ ἄλλος βωμός, θύουσι δὲ ἐπ' αὐτοῦ τότε μὲν Ὄμβριον τότε δὲ Ἀπήμιον καλοῦντες Δία). quid Parnethis montis incolis cum Deucalione? at quid opus est coniecturis, cum disertissime planissimeque Pausanias tradat Deucalionem apud Athenienses antiquissimi (Thucyd. II 15. 4) nobilissimique templi conditorem haberi, non sacelli cuius libet, cuius notitiam praeter Athenienses nemo omnium Graecorum habuit. quid enim spectabant annalium scriptores, cum omnem Deucalionis memoriam ad Athenas referebant, nisi ut ostenderent, quanto Atheniensium urbs cetera Graecorum oppida et antiquitate et dignitate antecederet? quod ut probarent, ipsum humani generis conditorem quem vulgo putabant illa urbe et receptaculo et domicilio usum esse firmissime affirmabant; eiusque praesentiae certissima signa proferebant et templum nobilissimum, quod aedificasset, et sepulchrum, in quo conditus esset.

E Parii verbis quae sunt κατακλυσμὸς ἐπὶ Δευκαλίωνος alterum eum novisse diluvium colligitur, Ogygi scilicet, quod

fuerunt qui in initio rerum Atticarum ponerent. talis enim
chronographi indoles est, ut, etsi initium chronographiae a
Cecropis demum temporibus sumpsit, tamen a se impetrare
non possit, ut vere missas faciat res, quae ante regem illum
fuisse ferebantur.

### Ep. 5.

Ἀ[φ' οὗ Ἀμφι]κτύων [ὁ] Δευκαλίωνος ἐβασίλευσεν ἐν Θερ-
μοπύλαις καὶ συνῆγε [9][τ]οὺς περὶ τὸ ἱερὸν οἰκοῦντας καὶ ὠ[νό]μασεν
Ἀμφικτύονας καὶ Π[υλαία]ν, οὗ[περ (lacuna?)]] καὶ νῦν ἔτι θύουσιν
Ἀμφικτύονες, [10][ἔτη] 1258 (1521/0), βασιλεύοντος Ἀθηνῶν
Ἀμφικτύονος.

*Supplementa:* [τ]ούς **S** [λα]ούς **Pr** [δήμ]ους **Flachius**
συνῆγε[ι/ρε τ]ούς **Wilamowitzius.** Π[υλαία]ν οὗ[περ] **P.**

*Testimonia:* 1) Harpocr. (Suid.) s. Ἀμφικτύονες (Zona-
ras col. 145): συνέδριόν ἐστι Ἑλληνικόν, συναγόμενον ἐν Θερμοπύλαις. ὠνομάσθη δὲ ἤτοι ἀπὸ Ἀμφικτύονος τοῦ Δευκαλίωνος, ὅτι
αὐτὸς συνήγαγε τὰ ἔθνη βασιλεύων, ὥς φησι Θεόπομπος ἐν η' . . . .
ἢ ἀπὸ τοῦ περιοίκους εἶναι τῶν Δελφῶν τοὺς συναχθέντας, ὡς
Ἀναξιμένης ἐν α' Ἑλληνικῶν. 2) Pausan. X 8,1 καταστήσασθαι
δὲ συνέδριον ἐνταῦθα Ἑλλήνων οἱ μὲν Ἀμφικτύονα τὸν Δευκαλίωνος
νομίζουσι, καὶ ἀπὸ τούτου τοῖς συνελθοῦσιν ἐπίκλησιν Ἀμφικτύονας
γενέσθαι. Ἀνδροτίων δὲ ἐν τῆι Ἀτθίδι ἔφη συγγραφῆι ὡς τὸ ἐξ
ἀρχῆς ἀφίκοντο ἐς Δελφοὺς παρὰ τῶν προσοικούντων συνεδρεύοντες,
καὶ ὀνομασθῆναι μὲν Ἀμφικτίονας τοὺς συνελθόντας, ἐκνικῆσαι δὲ
ἀνὰ χρόνον τὸ νῦν σφισιν ὄνομα. 3) Schol. Eurip. Or. 1094
Δελφοὶ πολεμοῦντες πρὸς τοὺς ὁμόρους ἀναρχίαν εἵλοντο καὶ τὸν
Ἀκρίσιον μετεπέμψαντο ἐξ Ἄργους, ὃς αὐτοῖς τόν τε πόλεμον
καλῶς διέθετο καὶ κατὰ ζῆλον τοῦ Ἀμφικτυονικοῦ συνεδρίου οὗ
κατεστήσατο Ἀμφικτύων ὁ Δευκαλίωνος ἐν Θερμοπύλαις τῆς Θεσσα-
λίας, ἕτερον ἐν Δελφοῖς εἵσατο καὶ τὸ ἐν Θεσσαλίαι ἀναλαβὼν τὰς
συνόδους ἀντὶ μιᾶς δύο πεποίηκε. 4) Dionys. Hal. AR IV
25,3 Ἀμφικτύονος τοῦ Ἕλληνος . . . ὃς ἀσθενὲς ὁρῶν καὶ ῥάιδιον
ὑπὸ τῶν περιοικούντων βαρβάρων ἐξαναλωθῆναι τὸ Ἑλληνικὸν
γένος, εἰς τὴν ἐπ' (ἀπ'?) ἐκείνου κληθεῖσαν Ἀμφικτυονικὴν σύνοδον
καὶ πανήγυριν αὐτὸ συνήγαγε. 5) Hypoth. Demosth. V
λέγουσι δὲ ὅτι ἐξ ἥρωός τινος ἔσχε τὸ ὄνομα (sc. ἡ Ἀμφικτυονία).

6) Herodot. VII 200 καὶ χῶρος περὶ αὐτὴν (sc. Ἀνθήλην)
εὐρύς, ἐν τᾶι Δήμητρός τε ἱρὸν Ἀμφικτυονίδος ἵδρυται καὶ ἕδραι
εἰσὶ Ἀμφικτύοσι καὶ αὐτοῦ τοῦ Ἀμφικτύονος ἱρόν.

'Ο ante Δευκαλίωνος inserui, cum et in patris nomine
addendo articulo fere semper usus sit chronographus — cf.
ex. gr. insequentem epocham — et litteram o in lapide
scriptam saepius Seldenus neglexerit. v. 9 initio neque λαοί
neque δῆμοι apte dicuntur — quae si suppleveris, articulum
addas necesse erit; unice verum est τούς, quod Seldenus
dedit. nulla autem causa est, cur tres litteras supplendas
esse censeamus; nam quod tria puncta Seldenus notavit, ipse
in supplendo eorum rationem non habuit. iure ille quidem,
cum quot in lapidis marginibus perierint litterae nemo certo
dicere neque possit neque potuerit. contra haud displicet
quod συνήγε[ι/ρε τ]ούς proposuit Wilamowitzius, quamquam
non est, cur in συνῆγε offendamus. conferas quaeso A ep. 10
ἅρμα ἔζευξε καὶ τὸν ἀγῶνα ἐδείκνυε B ep. 16 Πτολεμαῖος Δημή-
τριον ἐνίκα . . καὶ Σέλευκον ἀπέστειλεν. Π[υλαία]ν, quod Pal-
merius excogitavit, retinui collatis et test. 3 et Strabone
IX 420 τὴν δὲ σύνοδον Πυλαίαν ἐκάλουν . . ἐπειδὴ ἐν Πύλαις
συνήγοντο. Pylaeae vocabulum semper dictum esse ad
Pylaicos conventus significandos nemo est qui nesciat.

Duos Amphictyones aperte distinxit chronographus,
alterum Deucalionis filium, qui in Thermopylis regnavit,
alterum regem Atticum. quam duarum personarum distinc-
tionem non antiquitus acceptam esse primum ex eorum
scriptorum verbis colligitur, qui aut unum Amphictyonem
noverunt, patres duos, aut Atheniensium regem Deucalionis
fuisse filium affirmant; velut Bibliothecae auctor III 187
Κραναὸν δὲ ἐκβαλὼν Ἀμφικτύων ἐβασίλευσε. τοῦτον ἔνιοι μὲν Δευκαλίωνος, ἔνιοι δὲ αὐτόχθονα λέγουσι; id. I 49 γίνονται δὲ ἐκ Πύρρας
Δευκαλίωνι παῖδες . . Ἀμφικτύων ὁ μετὰ Κραναὸν βασιλεύσας τῆς
Ἀττικῆς; et Eusebius in Chronicis I 183,25 (cf. Hieronym.
can. vers. Armen. a. Abr. 520). Amphictyon Atticus, ubi
non Deucalionis est, Terra natus esse dicitur. deinde ipsorum
Atheniensium memoria confirmatur, cum a verisimilitudinis
specie prorsus abhorreat rerum Atticarum scriptores, qui

ipsum Deucalionem ad Cranaum regem confugisse eumque Athenis mortuum esse contendebant, filium eius Amphictyonem diveisum habuisse a cognomine rege Attico. qua ratione commode etiam explicatur, cur Amphictyonem per vim regnum Athenis arripuisse eumque postea per vim regno expulsum esse ab Erichthonio tradant (Pausan. I 2, 6 Biblioth. III 187). denique, quod fortasse gravissimum est, si antiquorum chronologorum ingenia atque consuetudines spectamus, Hellen qui vulgo e Deucalionis filiis natu maximus perhibetur — sunt etiam, qui patrem Amphictyonis eum fuisse contendant (test. 4) — e Parii chronographi calculis uno anno post Amphictyonem regnare coepit. neque dubito, quin Atticarum rerum scriptor, quo usus est Parius, hoc modo significare voluerit Amphictyonem et dignitate et honore Hellenem antecessisse; apparet igitur eum rem egisse eodem modo, quo ille, qui, cum fastos regum Lacedaemoniorum componeret, uno anno brevius fuisse Proclis regnum quam Eurysthenis scripsit. qua de ratione quid sit iudicandum, cognoscas e Schwartzii libello, qui inscribitur Die Königslisten des Eratosthenes und Kastor (p. 65).

Res igitur ita se habet: heros erat Amphictyon, cuius in tutela Amphictyonum conventus esse voluerant, qui quotannis fieri solebant Anthelae, ubi sacrum herois illius fuisse Herodotus auctor est (test. 6). hic et Deucalionis, qui regni successorem eum reliquisset, filius habebatur — quod quomodo credi potuerit facillime inde intellegitur, quod Deucalionem post diluvium circa Thermopylos et habitasse et regnasse multi erant, qui putarent (cf. ep. 2) — et nescio quo tempore (cf. tamen Wilamowitzium Aristot. u. Athen II 126,1) Athenas venit, ubi cum Dionyso societatem quandam iniit. ibi etiam in fastos regios receptus est. at ne tunc quidem ulla erat causa, cur Deucalionis filium eum esse negarent, quippe cum ipsum patrem quam artissime cum Athenis coniunctum esse affirmarent rerum Atticarum scriptores. at denique minus commode intellegebant homines, quomodo fieri potuisset, ut idem Amphictyon simul et in Thermopylis et Athenis regnasset cui difficultati solito veterum

scriptorum more nescio quis primus ita mederi studuit, ut
duos reges cognomines iisdem temporibus vixisse statueret,
alterum Deucalionis Locrorum regem, alterum humo natum,
qui Cranai filia in matrimonium ducta regnum nanctus esset
Athenis.

E duabus derivationibus, quibus Amphictyonum nomen
veteres enodare studebant (cf quae collecta sunt a Buergelio
Die Pylaeisch-Delphische Amphictyonie 1877 p. 4 sqq.),
alteram, quae ab Amphictyone Deucalionis filio et vocabulum
et rem repetit, probavit chronographus, alteram, quae Del-
phorum rationibus maxime conducere videtur, cum inde ab
initio Delphos convenisse finitimas civitates contendat, signi-
ficavit adiectis verbis συνῆγε τοὺς περὶ τὸ ἱερὸν — nullus
enim dubito, quin recte sic scripserit Wilhelmus, sive lapidario sive Seldeno error tribuendus sit — οἰκοῦντας. quod in
nomine derivando ad verbum fere inter Parium et Theopom-
pum (test. 1) convenit, cave in re tam vulgata chronographum ab illo pendere credas. sunt etiam, qui conven-
tuum originem non ab Amphictyone sed demum ab Acrisio
repetant, velut Strabo (IX p. 420 τὰ πάλαι μὲν οὖν ἀγνοεῖται,
Ἀκρίσιος δὲ τῶν μνημονευομένων πρῶτος διατάξαι δοκεῖ τὰ περὶ
τοὺς Ἀμφικτύονας), qui Acrisio tribuit, quae ab Amphictyone
et facta et instituta esse Dionysius tradidit. accuratius autem
qui de Amphictyonum initiis exposuerunt, instituisse Acri-
sium eorum concilia negaverunt, quippe quae iam pridem
haberentur in Thermopylis, alia autem insuper Delphos
convocasse affirmaverunt, ita ut in posterum bis sin-
gulis annis convenirent Amphictyones (test. 3 cf. Callimach.
ep. 39).

Ab his omnibus diversam iniit rationem Agathon,
tragoediarum scilicet scriptor, cum a Pylade Strophii filio
Pylaici conventus nomen derivavit: Schol. Soph. Trach. 638
ὅπου συνάγονται οἱ Ἀμφικτύονες εἰς τὴν λεγομένην Πυλαίαν περὶ
ἧς Ἀγάθων φησὶ Πυλάδην τὸν Στροφίου πρῶτον συστήσασθαι ἐν
τῇι Φωκίδι καθαιρόμενον τὸ ἐπὶ Κλυταιμήστρας μύσος καὶ ἀπ'
αὐτοῦ τὴν σύνοδον Πυλαίαν φησὶ προσαγορεύεσθαι.

Sacrificia anniversaria, quae primum Amphictyonem fecisse chronographus scribit, ad Cererem pertinent, cuius in tutela esse voluerunt Pylaicos conventus, unde Ἀμφικτυονίς dea appellatur ab Herodoto (VII 200), qui sacrum eius commemorat apud Anthelam situm, Πυλαία a Callimacho (ep. 39) et in scholiis ad Iliad. Townl. Π 174 cf. Strabon. IX p. 420. 429. utrum deam commemoraverit chronographus necne dubitari potest. ut τῆι Δήμητρι suppleas, versus noni brevitas suadet, quippe qui non plus 88 litteris contineat. at ubi haec verba inserenda sint, incertus haereo, cum neque in extremis versibus in· hac quidem Marmoris parte (vv. 3—14) tot exciderint litterae neque lacuna, quam post οὖ indicavit Seldenus, duodecim litterarum supplementum capiat.

Κέκροψ Ἀθηνῶν ἐβασίλευσε καὶ ἡ χώρα

8 Κεκροπία ἐκλήθη.

A regum Atticorum laterculo, quem ex Castoris Chronicis excerpsit Eusebius, ut in Canone chronico contexendo eo uteretur, ita discrepant fasti Attici, quos secutus est chronographus Parius, ut inde a primo Cecropis anno discrimine annorum 25 distineantur. quod discrimen cum usque ad eum annum, quo Troia a Graecis capta est (ep 24), neque augeri neque minui Boeckhius perspexerit — quod non miramur, cum ipso Troiae captae anno quoquo modo definito pro fundamento computationis usi sint et Parii auctor et Castor, qui Eratosthenis Apollodorique amplexus est rationes — singulorum regum inde a Cecrope usque ad Menestheum regna certis terminis circumscribere licet. de regum et archontum perpetuorum, qui inde a Troia capta usque ad Creontis annum fuerunt, temporibus minus recte Boeckhius iudicavit. cf. quae adnotavi ad epp 30—31 et quae disserui in Lehmanni Annalibus, qui inscribuntur Beiträge zur alten Geschichte II 1902 p 429 sqq.

---

[1]) De computandi ratione qua usus est chronographus alio loco licere in animo est. hic satis est commemorasse eum modo utrumque terminum in computando, quot anni a facto quoque usque ad Diogneti annum praeterierint, inclusisse (J), modo alterum exclusisse (E).

<table>
<tr><td>ep 1<br>a. M. 1818</td><td>Apponam regum qui ante Troiam captam regnasse dicuntur undecim catalogum adiectis etiam annis, quibus Castor eorum regna circumscripsit.</td><td>a. C<br>158<br>J</td></tr>
</table>

| | | | | | |
|---|---|---|---|---|---|
| 1) Cecrops annos regn | 50 | inde ab a. | 1581/0 | (1556/5) |
| 2) Cranaus „ | „ | 9 „ | „ „ 1531/0 | (1506/5) |
| 3) Amphictyon | „ | 10 „ | „ „ 1522/1 | (1497/6) |
| 4) Erichthonius | „ | 50 „ | „ „ 1512/1 | (1487/6) |
| 5) Pandion „ | „ | 40 „ | „ „ 1462/1 | (1437/6) |
| 6) Erechtheus | „ | 50 „ | „ „ 1422/1 | (1397/6) |
| 7) Cecrops II „ | „ | 40 „ | „ „ 1372/1 | (1347/6) |
| 8) Pandion II „ | „ | 25 „ | „ „ 1332/1 | (1307/6) |
| 9) Aegeus „ | „ | 48 „ | „ „ 1307/6 | (1282/1) |
| 10) Theseus „ | „ | 29 „ | „ „ 1259/8 | (1234/3) |
| 11) Menestheus „ | „ | 22 „ | „ „ 1230/29 | (1205/4) |
| Troia capta | | | „ 1209/8 | (1184/3) |

De Theseo et Menestheo cf. Lehmanni Annales l. l. p. 422 sqq. Ex Africani fastis Cecrops a. 1607/6 regnare coepit tenuitque usque ad a 1558/7. cf. E Schwartzium Königslisten des Eratosthenes und Kastor 1894 p. 39. a multo prioribus temporibus regum Atticorum initia repetiisse videtur Clemens Alex. Strom. I 139 p. 402 P εἰσὶ δὲ οἱ ἀπὸ Κέκροπος μὲν ἐπὶ ᾿Αλέξανδρον τὸν Μακεδόνα συνάγουσιν ἔτη χίλια ὀκτακόσια εἴκοσι ὀκτώ (336/5 + 1828 = 2164/3), ἀπὸ δὲ Δημοφῶντος χίλια διακόσια πεντήκοντα (336/5 + 1250 = 1585/4). dubito autem fidesne his numeris habenda sit, cum quae sequuntur verba librariorum mendis foede inquinata sint; velut procul dubio legendum est: ἀπὸ Τροίας ἁλώσεως ἐπὶ τὴν ῾Ηρακλειδῶν κάθοδον ἔτη ἑκατὸν εἴκοσι ἢ [ἑκατόν] ὀγδοήκοντα

<table>
<tr><td>ep. 2<br>a. M. 1310</td><td>Δευκαλίων ἐν Λυκωρείαι ἐβασίλευσε<br>Euseb. can. a. Abr. 481 [AFRM. 482 cett.] a. Chr. 1536/5, Cecropis annus 21us: Δευκαλίων βασιλεύειν τῶν κατὰ τὸν Παρνασσὸν ἤρξατο.</td><td>a.<br>15'<br>(15'</td></tr>
</table>

a. Chr.
1531/0
J

3
1 <sub>268</sub>

"Αρειος πάγος ἐκλήθη.

Euseb. can. a. Abr. 509 [506 FR Arm.] a. Chr. 1508/7, Cecropis annus 49us: "Αρειος πάγος ἐκλήθη καὶ δικαστήριον κατέστη. Hellanicus Schol. Eur. Or 1648 Περὶ τῆς Ὀρέστου κρίσεως ἐν Ἀρείωι πάγωι καὶ Ἑλλάνικος ἱστορεῖ ταῦτα γράφων. "τοῖς ἐκ Λακεδαίμονος ἐλθοῦσι καὶ τῶι Ὀρέστηι οἱ Ἀθηναῖοι * ἔφρασαν. τέλος δὲ ἀμφοτέρων ἐπαινούντων οἱ Ἀθηναῖοι τὴν δίκην ἐνέστησαν. ἐννέα δὲ γενεαῖς ὕστερον μετὰ τὴν Ἀρει καὶ Ποσειδῶνι περὶ Ἁλιρροθίου δίκην, μετὰ δὲ τὴν Κεφάλου τοῦ Δηιονέως δίκην . . . ἓξ γενεαῖς ὕστερον, μετὰ δὲ τὴν Δαιδάλου δίκην . . τρισὶ γενεαῖς ὕστερον αὕτη ἡ <περὶ> Κλυταιμήστρας δίκη ἐγένετο. cum chronographi veteriores tempora ita computare solerent, ut eundem esse regnorum numerum atque saeculorum statuerent, e nobilissimo hoc fragmento suo iure Kirchhoffius (Hermes VIII 1874 p. 190) effecit Hellanicum et Areopagi originem ad Cecropis tempora retulisse et a Cecrope usque ad Demophontem novem reges numerasse. apparet igitur alterum Cecropem et alterum Pandionem, quos in regum numero chronographus Parius recenset demum post Hellanicum in fastos Atticos receptos esse. — cur Parius iudicium, quod primum in Areopago institutum est, in Cranai regno collocaverit, nescire me fateor, nisi forte ea re commotus est, quod Alcippe, quam propter Mars Halirrothium interfecit, Cecropis neptis fuisse ferebatur.

a. Chr
1528/7
(1529/8)
?

p. 4
. 1265

Ὁ ἐπὶ Δευκαλίωνος κατακλυσμός.

1) Deucalionis diluvium plerique e chronologis sub Cranao factum esse scripserunt: Varro ap. Augustin. *d. civ. dei* 18, 10 *his temporibus, ut Varro scribit, regnante Atheniensibus Cranao . . ut autem nostri Eusebius et Hieronymus, adhuc eodem Cecrope, diluvium fuit, quod appellatum est Deucalionis.* Biblioth. III 186 Κραναός . . . ἐφ' οὗ τὸν ἐπὶ Δευκαλίωνος λέγεται κατακλυσμὸν γενέσθαι. Africanus diluvium

ep 4
a M 1265

in ultimo Cranai anno posuit, i. e. ex eius calculis a. Chr. n. 1548/7 (cf. Schwartzium l. l.), annis 248 post primum diluvium, quod ab Ogygo nomen habuit addas etiam qui e regum Argivorum catalogo annos computantes Crotopum tum temporis regem fuisse tradunt; nam eadem fere aetate, qua Athenis Cranaus, Crotopus Argis erat: Tatianus *ad Graec.* 39 p. 40, 16 (coll. Clem. Al. *Strom.* I 103 p. 380 P) et Thrasyllus apud Clementem I 136 p. 401 P. (a. 1533). 2) a quibus primo quidem aspectu dissentire videtur Eusebius, cum *adhuc eodem Cecrope permanente* diluvium fuisse contendit: *Chron.* I 184, 16 Κέκροψ. ἐφ᾽ οὗ ὁ ἐπὶ Δευκαλίωνος κατακλυσμὸς ἐν Θεσσαλίαι. *Canon* a. Abr. 492 [PM Cyrillus. 477 Armen. 483 Dionys Telm. 490 A. 491 R. 495 cett.] a. Chr 1525/4, Cecropis annus 32us: *Diluvium quod sub Deucalione in Thessalia . . factum est.* at si ex aera Christiana annos numeramus, in eodem fere anno et a Pario chronographo et ab Eusebio diluvium collocatum esse videmus. opinata igitur discrepantia est, quippe quae ex fastorum, quibus usus est uterque, diversitate orta sit. idem enim annus — 845us scilicet ante Creontem, qui primus annuum magistratum obtinuit Athenis — ex Parii laterculo in Cranai, ex Eusebii autem in Cecropis regnum incidit. 3) sub Amphictyone diluvium collocavit Justin. II 6, 9. 10, quem secutus est Orosius I 9, 1. 2.

a. Ol
1528
(1529
?

ep 5
a. M. 1258

Ἀμφικτύων ὁ Δευκαλίωνος ἐβασίλευσεν ἐν Θερμοπύλαις καὶ ὠνόμασεν Ἀμφικτύονας.

Amphictyoni, quem decem annos regnasse et chronographus Parius et Castor tradunt, annos duodecim tribuit Biblioth. III 187. haud scio an hac epocha excluso termino extremo altero (E) annos

a. C
1521
(152:
?

<table>
<tr><td>. 5<br>1258</td><td>numeraverit chronographus. quod si statuimus, res in primum Amphictyonis Attici annum incidit. quamquam fieri potest, ut consulto Thessalici Amphictyonis initium demum in altero cognominis regis Attici anno collocaverit Parius, ut hoc modo hunc illum et dignitate et honore antecedere ostenderet.</td><td>a. Chr.<br>1521/0<br>(1522/1)<br>?</td></tr>
</table>